Ilustracje
Magdalena Kozieł-Nowak

Wlazł kotek na płotek

Wydawnictwo AKSJOMAT
Kraków

Redakcja:
Anna Podgórska
Agnieszka Bator

Korekta:
Beata Karlik

Opracowanie graficzne:
Wydawnictwo Aksjomat

Miękka oprawa ISBN 978-83-8106-160-5
Twarda oprawa ISBN 978-83-8106-161-2

30-148 Kraków, ul. Lindego 7 C
e-mail: marketing@aksjomat.com
tel. 12 633 70 22

Jestem sobie przedszkolaczek

Jestem sobie przedszkolaczek,
nie grymaszę i nie płaczę.
Na bębenku marsza gram:
RAM TAM TAM, RAM TAM TAM.

Mamy tu zabawek wiele,
razem bawić się weselej,
bo kolegów dobrych mam,
RAM TAM TAM, RAM TAM TAM.

Mamy klocki, kredki, farby,
to są nasze wspólne skarby.
Bardzo dobrze tutaj nam,
RAM TAM TAM, RAM TAM TAM.

Kto jest beksą i mazgajem,
ten się do nas nie nadaje.
Niechaj w domu siedzi sam,
RAM TAM TAM, RAM TAM TAM.

Maria Terlikowska

Stokrotka

Gdzie strumyk płynie z wolna,
rozsiewa zioła maj,
STOKROTKA rosła polna,
a nad nią szumiał gaj.

– W tym lesie tak ponuro,
że aż przeraża mnie,
ptaszęta za wysoko,
a mnie samotnej źle.

Wtem harcerz ją spotyka:
– Stokrotko, witam cię,
twój urok mnie zachwyca,
czy chcesz być mą, czy nie?

STOKROTKA się zgodziła
i poszli w ciemny las,
a harcerz taki gapa,
że aż w pokrzywy wlazł.

A ona, ona, ona,
cóż biedna robić ma?
Nad gapą pochylona
i śmieje się cha! cha!

Edward Fiszer

BIEDRONECZKO, LEĆ DO NIEBA,
PRZYNIEŚ MI KAWAŁEK CHLEBA.

ŚLIMAK, ŚLIMAK, POKAŻ ROGI.
DAM CI SERA NA PIEROGI.
JAK NIE SERA, TO KAPUSTY.
BĘDZIE Z CIEBIE ŚLIMAK TŁUSTY.

IDZIE RAK NIEBORAK.
JAK USZCZYPNIE, BĘDZIE ZNAK.

Uciekaj myszko

Uciekaj, myszko, do dziury!
Niech cię nie złapie kot bury!
Bo jak cię złapie kot bury,
to cię obedrze ze skóry.

Łap, kotku, łap sobie.
Co złapiesz, to tobie.
Ale nasz kotek leniwy,
nie złapał żadnej zwierzyny.

Nie słuchała myszka mamy.
Po kryjomu wyszła z jamy.
Zachciało się jej słoninki,
a teraz ma smutne minki.

Opowiem ci bajkę

Opowiem ci bajkę,
jak kot palił fajkę.
A kocica papierosa,
upaliła kawał nosa.

Prędko, prędko po doktora,
bo kocica bardzo chora!
Przyszedł doktor z dużym brzuchem,
a kocica – pod fartuchem!

Przyszedł doktor z nożycami,
a kocica z pazurami.

Wlazł kotek na płotek

WLAZŁ KOTEK NA PŁOTEK I MRUGA.
ŁADNA TO PIOSENKA, NIEDŁUGA.
NIEDŁUGA, NIEKRÓTKA, LECZ W SAM RAZ.
ZAŚPIEWAJ, KOTECZKU, JESZCZE RAZ!

Jak szło słonko spać

Jak szło słonko spać,
musieli mu dać
tych puchowych chmurek krzynkę
na poduszki, na pierzynkę,
żeby mogło spać!

Jak chciał miesiąc wstać,
musieli mu dać
na buciczki srebrnej rosy,
by po niebie nie szedł bosy,
kiedy musiał wstać!

Lśni miesiączek, lśni,
śpi słoneczko, śpi.
I nie wiedzą wcale o tym,
teraz, przedtem ani potem,
co mój mały śni!

Ewa Szelburg-Zarembina

Idzie Niebo

Idzie Niebo ciemną nocą,
ma w fartuszku pełno gwiazd.
Gwiazdy błyszczą i migocą,
aż wyjrzały ptaszki z gniazd.

Jak wyjrzały – zobaczyły
i nie chciały dalej spać,
kaprysiły, grymasiły,
żeby im po jednej dać!

– Gwiazdki nie są do zabawy,
tożby Nocka była zła!
Ej! Usłyszy kot kulawy!

CICHO BĄDŹCIE!... A, A, A...

Ewa Szelburg-Zarembina

Elemele-dudki

ELEMELE-DUDKI,
gospodarz malutki.
Gospodyni jeszcze mniejsza,
ale za to rozumniejsza.

ELEMELE-DUDKI,
gospodarz malutki,
gospodyni garbata,
a ich córka smarkata.

Rodzina

Ten pierwszy
to nasz dziadziuś,
a obok babusia.
Największy to tatuś,
a przy nim mamusia.
A to jest dziecinka mała,
tralalala, lalalala.
A to moja rączka cała,
tralalala, lalalala.

Waleria Puffke

Pomogę mamusi

Choć mam rączki małe
i niewiele zrobię,
pomogę mamusi,
niech odpocznie sobie.

Zamiotę izdebkę,
umyję garnuszki,
niech się tu nie schodzą
łakomczuszki – muszki.

I braciszka uśpię
w białej kolebusi.
Chociaż w tym pomogę
kochanej mamusi.

Hanna Ożogowska

JA, MAŁY ROBACZEK, WYSZEDŁEM NA KRZACZEK.
NIE UMIEM DZIĘKOWAĆ, TYLKO MAMĘ I TATĘ POCAŁOWAĆ.

O, JAK PRZYJEMNIE I JAK WESOŁO, W PINGWINA BAWIĆ SIĘ, SIĘ, SIĘ!
RAZ NÓŻKA LEWA, RAZ NÓŻKA PRAWA,
DO PRZODU, DO TYŁU – I RAZ, DWA, TRZY!

Sanna

Zima, zima, zima,
pada, pada śnieg.
Jadę, jadę w świat sankami,
sanki dzwonią dzwoneczkami:
dzyń, dzyń, dzyń, dzyń, dzyń,
dzyń, dzyń, dzyń, dzyń.
dzyń, dzyń, dzyń.

Jaka pyszna sanna,
parska raźno koń,
śnieg rozbija kopytami,
sanki dzwonią dzwoneczkami:
sanki dzyń, dzyń, dzyń, dzyń,
dzyń, dzyń, dzyń, dzyń.
dzyń, dzyń, dzyń.

Zasypane pola,
w śniegu cały świat.
Biała droga hen przed nami,
sanki dzwonią dzwoneczkami:
dzyń, dzyń, dzyń, dzyń, dzyń,
dzyń, dzyń, dzyń, dzyń.
dzyń, dzyń, dzyń.

Barbara Kossuth

Zła zima

Hu, hu, ha! Nasza zima zła!
Szczypie w nosy, szczypie w uszy,
mroźnym śniegiem w oczy prószy,
wichrem w polu gna!
Nasza zima zła!

Hu, hu, ha! Nasza zima zła!
Płachta na niej długa, biała,
w ręku gałąź oszroniała,
a na plecach drwa...
Nasza zima zła!

Hu, hu, ha! Nasza zima zła!
A my jej się nie boimy,
dalej śnieżkiem w plecy zimy,
niech pamiątkę ma!
Nasza zima zła!

Maria Konopnicka

Muzykanci

– Jestem muzykantem
konszabelantem.
– I my muzykanci konszabelanci.
– Ja umiem grać!
– I my umiemy grać!
– A na czym?

– NA BĘBNIE: BUM-TARARA,
BUM-TARARA, BUM-TARARA, BĘC!

– NA TRĄBCE: TRUTUTUTU,
TRĄBA Z DRUTU, TRUTUTUTU, HEJ!

– NA AKORDEONIE: ŚCISKAM GO,
ROZCIĄGAM GO, NO I ŚCISKAM GO.

– NA PIANINIE: A PIANINO INO-INO,
A PIANINO GRA.

– NA FLECIE: FIRLI-ŚWIRLI, FIRLI-ŚWIRLI, FIRLI-ŚWIRLI, HEJ!

Tańcowały dwa Michały

Tańcowały dwa Michały,
jeden duży, drugi mały.
Jak ten duży zaczął krążyć,
to malutki nie mógł zdążyć.

Tańcowały dwa Michały,
jeden duży, drugi mały.
Tak tańcują dookoła,
aż im pot się leje z czoła.

Nie chcę cię

Nie chcę cię, nie chcę cię,
nie chcę cię znać!

Chodź do mnie, chodź do mnie
rączkę mi dać.

Prawą mi daj, lewą mi daj
i już się na mnie nie gniewaj.

NA WYSOKIEJ GÓRZE ROSŁO DRZEWO DUŻE.
NAZYWAŁO SIĘ: APLI-PAPLI-BLITE-BLAU,
A KTO TEGO NIE WYPOWIE,
TEN NIE BĘDZIE Z NAMI GRAŁ!

Wpadła gruszka

Wpadła gruszka
do fartuszka,
a za gruszką
dwa jabłuszka,
lecz śliweczka
wpaść nie chciała,
bo śliweczka
nie dojrzała.

Entliczek, pentliczek

Entliczek, pentliczek, czerwony stoliczek.
A na tym stoliczku pleciony koszyczek.

W koszyczku jabłuszko, w jabłuszku robaczek,
a na tym robaczku zielony kubraczek. (...)

Jan Brzechwa

ENCE-PENCE, W KTÓREJ RĘCE?

Na zielonej łące

Na zielonej łące – raz, dwa, trzy!
Pasły się zające – raz, dwa, trzy!
A to była pierwsza zwrotka,
teraz będzie druga zwrotka:
Na zielonej łące – raz, dwa, trzy...

Chory kotek

Pan kotek był chory
i leżał w łóżeczku.
I przyszedł kot doktor:
– Jak się masz, koteczku?
– Źle bardzo – i łapkę
wyciągnął do niego.
Wziął za puls pan doktor
poważnie chorego
i dziwy mu prawi:
– Zanadto się jadło,
co gorsza, nie myszki,
lecz szynki i sadło;
źle bardzo... gorączka!
Źle bardzo, koteczku!
Oj! długo ty, długo
poleżysz w łóżeczku.

I nic jeść nie będziesz,
kleiczek i basta.
Broń Boże kiełbaski,
słoninki lub ciasta!

– A myszki nie można? –
zapyta koteczek –
lub ptaszka małego
choć parę udeczek?
– Broń Boże! Pijawki
i dieta ścisła!
Od tego pomyślność
w leczeniu zawisła.

I leżał koteczek;
kiełbaski i kiszki
nietknięte; z daleka
pachniały mu myszki.
Patrzcie, jak złe łakomstwo!
Kotek przebrał miarę,
musiał więc, nieboraczek,
srogą ponieść karę!
Tak się i z wami,
dziateczki, stać może:
od łakomstwa
strzeż was Boże!

Stanisław Jachowicz

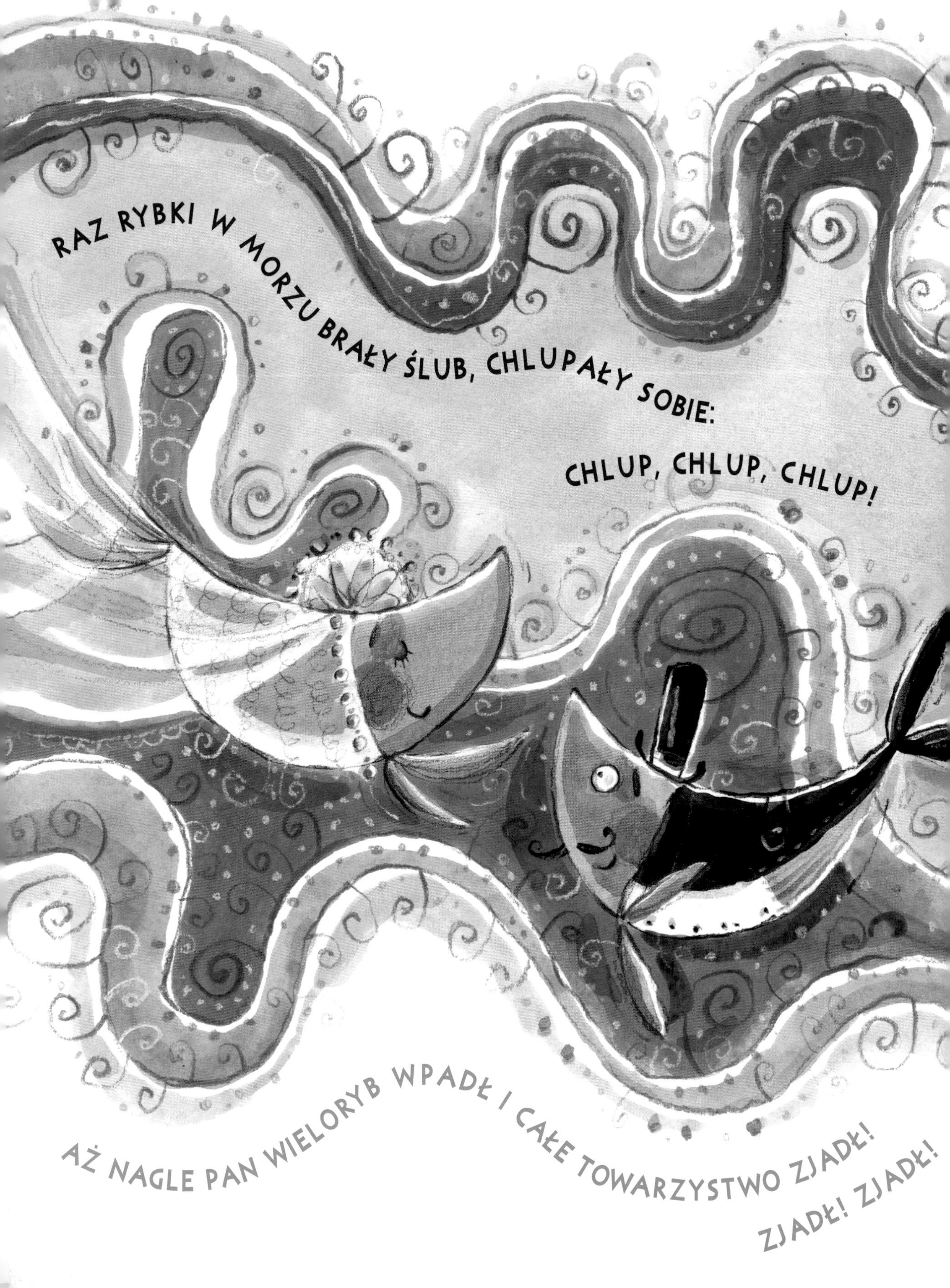
RAZ RYBKI W MORZU BRAŁY ŚLUB, CHLUPAŁY SOBIE:
CHLUP, CHLUP, CHLUP!
AŻ NAGLE PAN WIELORYB WPADŁ I CAŁE TOWARZYSTWO ZJADŁ!
ZJADŁ! ZJADŁ!

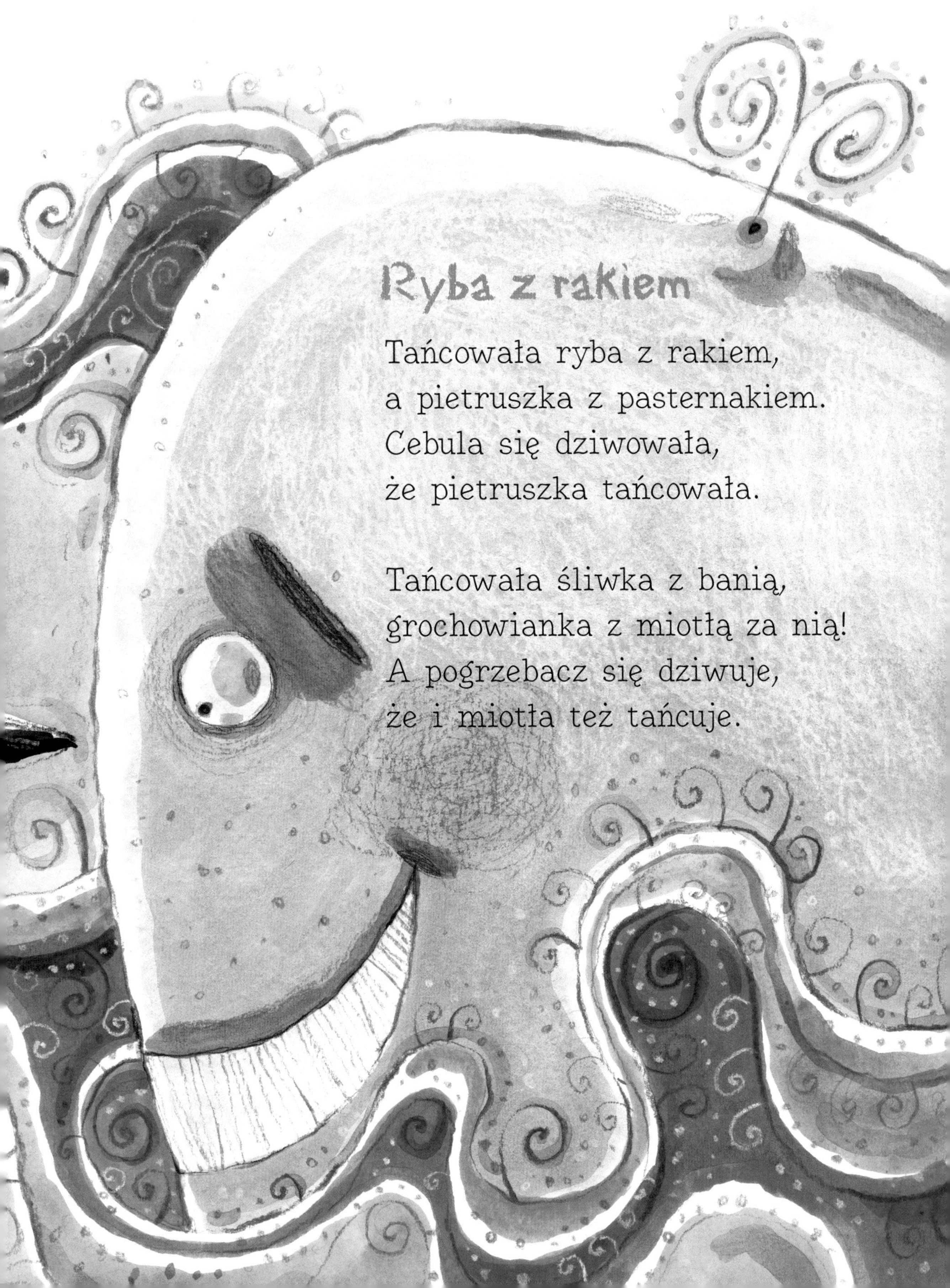

Ryba z rakiem

Tańcowała ryba z rakiem,
a pietruszka z pasternakiem.
Cebula się dziwowała,
że pietruszka tańcowała.

Tańcowała śliwka z banią,
grochowianka z miotłą za nią!
A pogrzebacz się dziwuje,
że i miotła też tańcuje.

Mam trzy lata

Mam trzy lata, trzy i pół,
sięgam brodą ponad stół.
Do przedszkola chodzę z workiem
i mam znaczek z muchomorkiem.
Pantofelki ładnie zmieniam,
myję ręce do jedzenia,
zjadam wszystko z talerzyka,
tańczę, kiedy gra muzyka.
Umiem wierszyk o koteczku,
o tchórzliwym koziołeczku
i o piesku, co był w polu,
nauczyłam się w przedszkolu.

Irena Suchorzewska

Ola i liście

Poszła Ola na spacerek,
na słoneczko, na wiaterek.
A tu lecą jej na głowę
liście złote i brązowe.

Myśli Ola: „Liści tyle...
Zrobię bukiet z nich za chwilę".
La, la, la, la, la, la, la, la, la.
La, la, la, la, la, la, la, la, la.

Czy to bajka, czy nie bajka...

Czy to bajka, czy nie bajka,
myślcie sobie, jak tam chcecie.
A ja przecież wam powiadam:
KRASNOLUDKI SĄ NA ŚWIECIE!

Naród wielce osobliwy.
Drobny – niby ziarnka w bani.
Jeśli które z was nie wierzy,
niech zapyta starej niani.

W górach, jamach, pod kamykiem,
na zapiecku czy w komorze
siedzą sobie Krasnoludki
w byle jakiej mysiej norze.

Pod kominem czy pod progiem –
wszędzie ich napotkać można:
czasem który za kucharkę
poobraca pieczeń z rożna...

Czasem skwarków porwie z rynki
albo liźnie cukru nieco
i pozbiera okruszynki,
co ze stołu w obiad zlecą.

Czasem w stajni z bicza trzaśnie,
koniom sploto długie grzywy,
czasem dzieciom prawi baśnie...
Istne cuda! Istne dziwy!

Gdzie chce – wejdzie, co chce – zrobi,
jak cień chyżo, jak cień cicho,
nie odżegnać się od niego,
takie sprytne małe licho!

Zresztą myślcie, jako chcecie,
czy kto chwali, czy kto gani,
KRASNOLUDKI SĄ NA ŚWIECIE!
Spytajcie się tylko niani.

Maria Konopnicka

Nie piej, kurku

Nie piej, kurku, nie piej,
usypiam Marysię,
mała była nocka,
nie wyspała mi się.

Całą noc nie spała,
całą noc płakała.
Lulajże, Marysiu,
lulaj, moja mała.

Dobranoc!

DOBRANOC! PCHŁY NA NOC!
KARALUCHY POD PODUCHY,
A SZCZYPAWKI DO ZABAWKI,
KARAKULE NA PRZYTULE.

Kołysanka Brahmsa

Śpij, dziecinko, i sza,
śpij do białego dnia.

Śpij, dziecino, oczka zmruż,
śpij do wschodu rannych zórz.

Mama zaś będzie tu
śpiewać piosnki do snu.

Gwiazdki w górze już lśnią,
wszystkie dzieci już śpią,

więc i ty swe oczka zmruż,
śpij do wschodu rannych zórz.

Jutro znów w ranny czas
zbudzi cię słońca blask.

Rolnik sam w dolinie

ROLNIK SAM W DOLINIE,
rolnik sam w dolinie.
Hejże, hejże, hejże ha!
Rolnik sam w dolinie.

ROLNIK BIERZE ŻONĘ,
rolnik bierze żonę.
Hejże, hejże, hejże ha!
Rolnik bierze żonę.

ŻONA BIERZE DZIECKO,
żona bierze dziecko.
Hejże, hejże, hejże ha!
Żona bierze dziecko.

DZIECKO BIERZE NIANIĘ,
dziecko bierze nianię.
Hejże, hejże, hejże ha!
Dziecko bierze nianię.

NIANIA BIERZE KOTKA,
niania bierze kotka.
Hejże, hejże, hejże ha!
Niania bierze kotka.

KOTEK BIERZE MYSZKĘ,
kotek bierze myszkę.
Hejże, hejże, hejże ha!
Kotek bierze myszkę.

MYSZKA BIERZE SEREK,
myszka bierze serek.
Hejże, hejże, hejże ha!
Myszka bierze serek.

SER ZOSTAJE W KOLE,
bo nie umiał w szkole
tabliczki mnożenia
ani podzielenia...

KOŁO SIĘ OBRACA,
serek się przewraca.
Hejże, hejże, hejże ha!
Serek się przewraca.

Była babuleńka

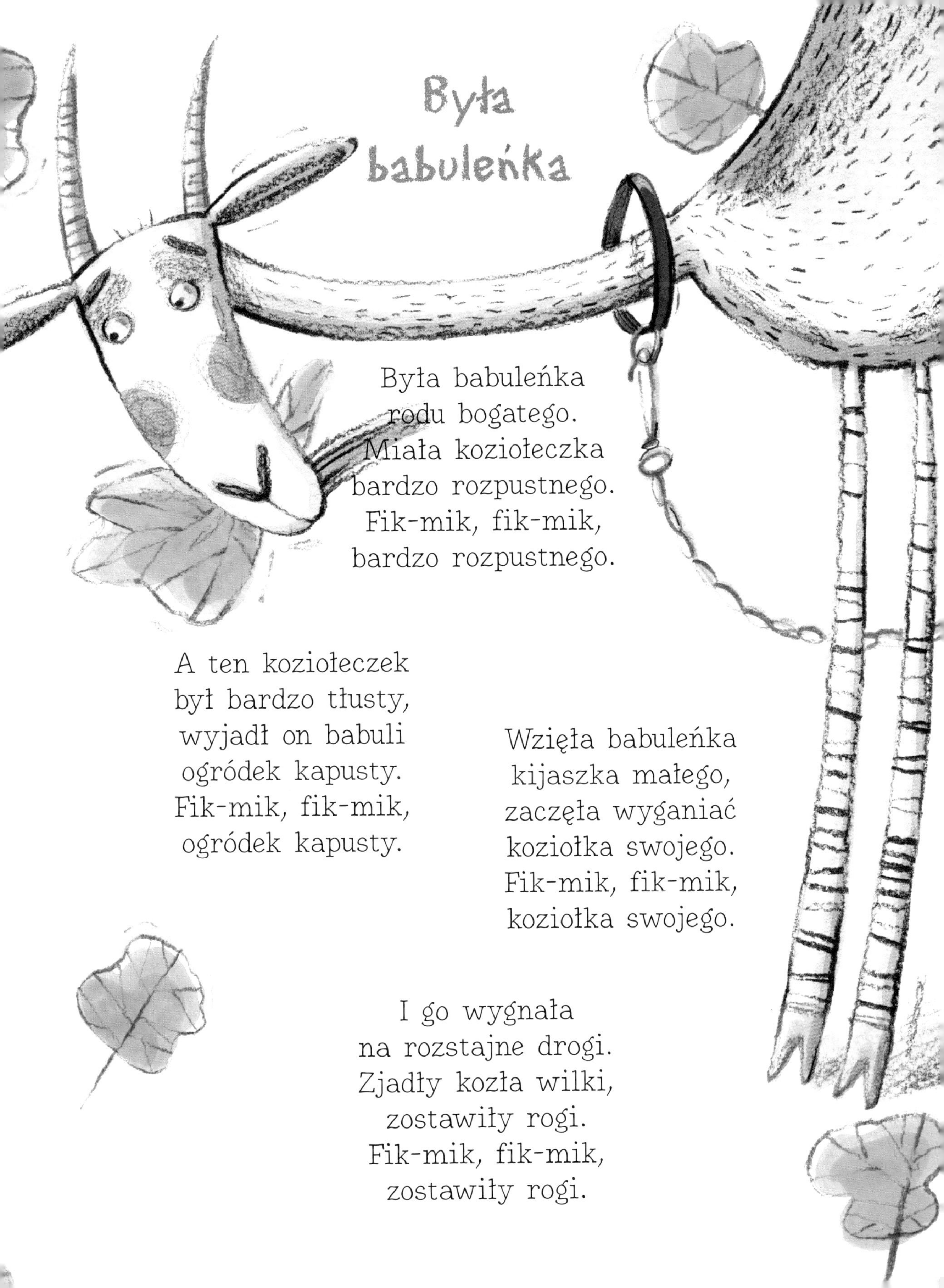

Była babuleńka
rodu bogatego.
Miała koziołeczka
bardzo rozpustnego.
Fik-mik, fik-mik,
bardzo rozpustnego.

A ten koziołeczek
był bardzo tłusty,
wyjadł on babuli
ogródek kapusty.
Fik-mik, fik-mik,
ogródek kapusty.

Wzięła babuleńka
kijaszka małego,
zaczęła wyganiać
koziołka swojego.
Fik-mik, fik-mik,
koziołka swojego.

I go wygnała
na rozstajne drogi.
Zjadły kozła wilki,
zostawiły rogi.
Fik-mik, fik-mik,
zostawiły rogi.

Co robi golasek rano

KĄPU-KĄPU, mój golasku,
w wanience.
Umyj buzię, umyj łebek
i ręce.
SZURU-SZURU, mój golasku,
ręcznikiem.
Zaraz będziesz czyściuteńkim
chłopczykiem.
ŁAPU-CAPU, mój golasku,
koszulę.
Teraz ciebie pocałuję,
przytulę.
TUPU-TUPU, mój golasku,
przed siebie,
poprowadzę na spacerek
ja ciebie.

Ewa Szelburg-Zarembina

Ręce

Mam pięć paluszków u ręki lewej
i pięć paluszków u prawej.
Pięć to niedużo, ale wystarczy
do każdej pracy i do zabawy.
Kciuk, wskazujący, potem środkowy,
po nim serdeczny, na końcu mały.
Pierwszy i drugi, trzeci i czwarty,
na końcu piąty – trochę nieśmiały.

Ta lala Małgosi

Ta lala Małgosi
robi kosi, kosi.
Umie mówić sama,
woła: – Tata, mama!

Karolinka

Poszła Karolinka
do Gogolina.
A Karliczek za nią,
a Karliczek za nią
z flaszeczką wina.

Szła do Gogolina,
przed się patrzała.
Ani się na swego
synka szykownego
nie obejrzała.

Prowadźże mnie, dróżko,
w ten szeroki świat.
Znajdę tam innego
syneczka miłego,
co mi będzie rad.

Nie goń mnie, Karliczku,
czego po mnie chcesz?
Jam ci już pedziała,
nie byda cię chciała,
sam to przeca wiesz.

Wróć się, Karolinko,
bo jadą goście!
Ja się już nie wracam,
ja się już nie wracam,
bo są na moście.

Wróć się, Karolinko,
czemu idziesz precz?
Nie odpowiem tobie,
po swojemu zrobię.
To nie twoja rzecz.

Mamo!

– Mamo, zapnij mi guziki!
– Mamo, wciągnij mi buciki!
– Mamo, zawiąż sznurowadło!
– Mamo, podnieś, bo coś spadło!
– Mamo, przynieś mi łyżeczkę!
– Mamo, popraw poduszeczkę!
We dnie, w nocy, wieczór, rano...
Ciągle tylko: – Pomóż, mamo!
Za to beczeć umie sam...
Znasz takiego? Bo ja znam.

Irena Suchorzewska

Koło młyńskie

KOŁO MŁYŃSKIE ZA CZTERY REŃSKIE. KOŁO NAM SIĘ POŁAMAŁO, ZBOŻE NAM SIĘ ROZSYPAŁO. A MY WSZYSCY BĘC!

Praczki

Tu lewą mam rączkę, a tu prawą mam,
jak praczki pracują, pokażę ja wam:
tak piorą, tak piorą przez cały boży dzień.
Wieszają, wieszają przez cały boży dzień.
Maglują, maglują przez cały boży dzień.
Prasują, prasują przez cały boży dzień.

BEKSA-LALA POJECHAŁA DO SZPITALA,
A W SZPITALU POWIEDZIELI,
ŻE TAKIEJ BEKSY NIE WIDZIELI!

Micitanka

Taka mała Micitanka mi się spodobała.
Pióro takie duże miała, sama taka mała.

Taka mała, takie pióro, takie pióro, taka mała.
Taka mała, takie pióro, takie pióro, taka mała.

Taka mała Micitanka mi się spodobała...

Coś tam w lesie stuknęło...

Coś tam w lesie stuknęło,
coś tam w lesie gruchnęło.
A to komar z dębu spadł,
złamał sobie w krzyżu gnat.

Potłukł sobie i głowę
o konary dębowe,
potłukł sobie i ciemię,
gdy tak gruchnął o ziemię.

Mucha z brzękiem leciała
i komara pytała,
czy nie trzeba doktora
albo księdza z klasztora.

Nie trzeba mi doktora
ani księdza przeora,
nie potrzeba apteki,
tylko rydla, motyki!

Zleciało się wilków sześć
komarowe ciało grześć;
wykopały dół w piasku,
narobiły tam wrzasku.

Wszystkie muchy płakały,
gdy komara chowały,
ucierały swe nosy,
zawodziły w niebiosy

I ŚPIEWAŁY REKWIJE:
„JUŻ NASZ KOMAR NIE ŻYJE!"

Szła dzieweczka

Szła dzieweczka do laseczka
do zielonego, do zielonego, do zielonego.
Napotkała myśliweczka
bardzo szwarnego, bardzo szwarnego, bardzo szwarnego.

GDZIE JEST TA ULICA, GDZIE JEST TEN DOM,
GDZIE JEST TA DZIEWCZYNA, CO KOCHAM JĄ?
ZNALAZŁEM ULICĘ, ZNALAZŁEM DOM,
ZNALAZŁEM DZIEWCZYNĘ, CO KOCHAM JĄ.

O mój miły myśliweczku
bardzom ci rada, bardzom ci rada, bardzom ci rada.
Dałabym ci chleba z masłem,
alem już zjadła, alem już zjadła, alem już zjadła.

GDZIE JEST TA ULICA...

Krasnoludki

Nie płacz, nie płacz, mój malutki!
Śpią pod progiem **KRASNOLUDKI**,
popod progiem, pod podłogą.
Jeszcze się obudzić mogą...
Wyjdą z norek zadziwione,
będą patrzeć w twoją stronę,
będą białą brodą kiwać.
Coś tam szeptać, naszeptywać...
Potem smutne, niewyspane
zaczną drapać się na ścianę
i zawisną u sufitu,
żeby drzemać tam do świtu.
A o świcie przyjdzie niania,
co z sufitu muszki zgania,
niania stara, źle widząca,
KRASNOLUDKI też postrąca!
A więc nie płacz, mój malutki,
niech śpią sobie krasnoludki,
niech śpią sobie z Panem Bogiem,
pod podłogą, popod progiem!

Ewa Szelburg-Zarembina

Siedzą lale na tapczanie

Siedzą lale na tapczanie,
każda inne ma ubranie:
ta sukienkę w groszki całą,
ta bluzeczkę nosi białą,
ta ma sweter na guziki,
ta czerwone ma trzewiki.
A ta najmniejsza cała goleńka,
bo to jest... Juleńka!

Mariackie hejnały

Hej, na krakowskim Rynku
maki i powoje, maki i powoje,
chłopcy i dziewczęta,
malowane stroje.

Nasz Lajkonik, ten Lajkonik
po Krakowie ciągle goni.
Lajkoniku, laj, laj
poprzez cały kraj!

Hej, na krakowskim Rynku
kręcą się górale, kręcą się górale.
Sprzedają serdaki,
kupują korale.

Hej, na krakowskim Rynku
gołębie zleciały, gołębie zleciały.
Słychać, jak tam grają
mariackie hejnały.

Ewa Szelburg-Zarembina

Ptaszek z Łobzowa

Przyleciał ptaszek z Łobzowa,
usiadł na Rynku Krakowa.
Asa, tadarasa, asa, tadarasa,
usiadł na Rynku Krakowa.

A na tym Rynku w Krakowie,
domy stanęły na głowie.
Asa, tadarasa, asa, tadarasa,
domy stanęły na głowie.

I zatańczyły raz, dwa, trzy,
a ptaszek siedzi i patrzy.
Asa, tadarasa, asa, tadarasa,
a ptaszek siedzi i patrzy.

A kiedy się już napatrzył,
to sam zatańczył raz, dwa, trzy.
Asa, tadarasa, asa, tadarasa,
to sam zatańczył raz, dwa, trzy.

Pieski małe dwa

Pieski małe dwa chciały przejść przez rzeczkę,
nie wiedziały jak, znalazły kładeczkę.
I choć była zła, przeszły po niej pieski dwa.

SI BON, SI BON, LA, LA, LA, LA, LA,

SI BON, SI BON, LA, LA, LA, LA, LA, SI BON.

Pieski małe dwa chciały przejść się chwilkę,
nie wiedziały, że przeszły całą milkę.
I znalazły coś, taką dużą białą kość.

SI BON, SI BON, LA, LA, LA, LA, LA,

SI BON, SI BON, LA, LA, LA, LA, LA, SI BON.

Pieski małe dwa poszły więc na łąkę.
Zobaczyły tam czerwoną biedronkę,
a biedronka ta mnóstwo czarnych kropek ma.

SI BON, SI BON, LA, LA, LA, LA, LA,

SI BON, SI BON, LA, LA, LA, LA, LA, SI BON.

Pieski małe dwa wróciły do domu,
o przygodzie swej nie mówiąc nikomu.
Wlazły w budę swą, teraz sobie smacznie śpią.

SI BON, SI BON, LA, LA, LA, LA, LA,

SI BON, SI BON, LA, LA, LA, LA, LA, SI BON.

Leciała osa

Leciała osa do psiego nosa, pies śpi.
Leciała mucha do psiego ucha, pies śpi.
Leciała sroka do psiego oka, pies śpi.
Przeleciał kruk, dziobem w bok stuk, pies „wau!”.

Szedł świerszcz po ścianie

Szedł świerszcz po ścianie
w czerwonym żupanie,
a świerszczyka po drzwiczkach
w żółtych rękawiczkach.

Jagódki

JESTEŚMY JAGÓDKI, CZARNE JAGÓDKI,
mieszkamy w lesie zielonym.
Oczka mamy czarne, buźki granatowe,
a sukienki są zielone i seledynowe.

A kiedy dzień nadchodzi, dzień nadchodzi,
idziemy na jagody, na jagody.
A nasze czarne serca, czarne serca
biją nam radośnie, bum, tarara bum.

PÓJDZIEM NA JAGÓDKI, WYSMARUJEM BRÓDKI,
do kosza połowę, a resztę na głowę.
Trochę sobie zjemy, się wysmarujemy
i zatańczymy nowy taniec jagodowy.

Deszczyk pada

Deszczyk pada, słońce świeci,
czarownica masło kleci.
Ukleciła, postawiła,
przyszła świnia, wywaliła.
Przyszedł pies – jeszcze troszkę jest.
Przyszedł dziad – wszystko zjadł.

Poszło dziewczę po ziele

Poszło dziewczę po ziele, po ziele, po ziele, nazbierało niewiele, niewiele, bęc!
Przyszedł do niej braciszek, połamał jej koszyczek.
– Oj, ty ty, oj, ty ty, za koszyczek zapłać mi!

Czerwone jabłuszko

Czerwone jabłuszko
przekrojone na krzyż...
Czemu ty dziewczyno
krzywo na mnie patrzysz?

GĘSI ZA WODĄ, KACZKI ZA WODĄ,
UCIEKAJ DZIEWCZYNO, BO CIĘ POBODĄ.
TY MI BUZI DASZ, JA CI BUZI DAM,
TY MNIE NIE WYDASZ, JA CIĘ NIE WYDAM.

Czerwone jabłuszko
po ziemi się toczy...
Tę dziewczynę kocham,
co ma siwe oczy.

Modre oczy miała,
modrymi się śmiała...
Modrymi mrugała,
bo innych nie miała.

Tam gdzie czysta woda,
tam koniki piją...
Gdzie ładne dziewczyny,
tam się chłopcy biją.

Nie bijta się chłopcy,
dla Boga świętego!
Nie wyjdę za wszystkich,
ino za jednego.

Kukułeczka

Kukułeczka kuka,
chłopiec panny szuka.
Spoziera, przebiera
i nosa zadziera.

KUKU, KUKU, AHA, AHA,
OJ DIRIDI, OJ DIRIDI DYNA,
OJ DIRIDI DYNA, UHA.

Chłopcy, moje chłopcy,
w co wy się dufacie?
Czy to w te surduty,
co na sobie macie?

Poznać ci to, poznać,
chłopca fanfarona.
Choć pusto w kieszeni,
głowa najeżona.

Kukułeczka kuka,
serce we mnie puka.
Głupi ten kawaler,
co z majątkiem szuka.

Pytajcie kukułki,
ona wam odpowie,
że ten najbogatszy,
co ma dobrze w głowie.

Spis utworów